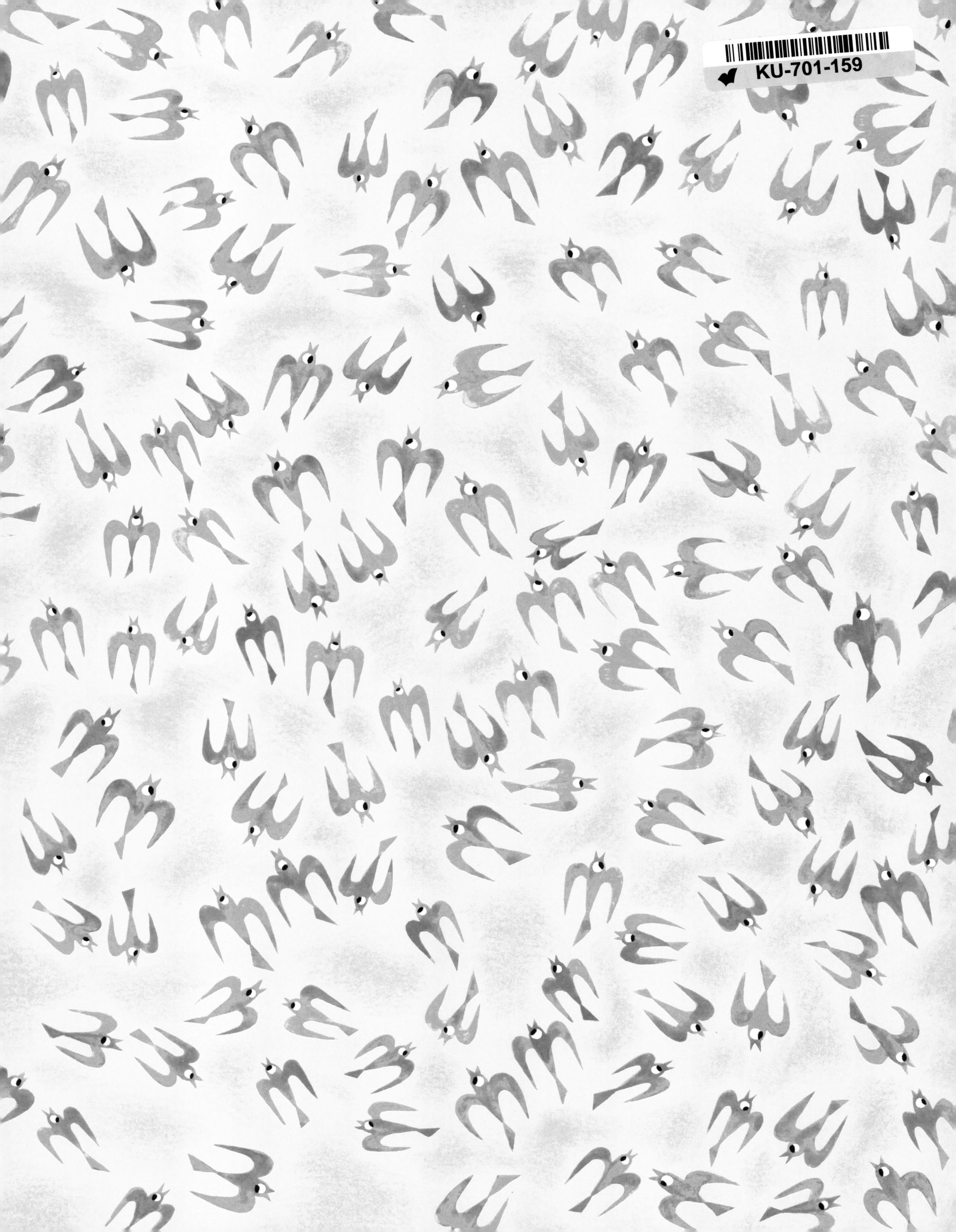

Éditrice : Isabelle Péhourticq
Directeur de création : Kamy Pakdel
Directeur artistique : Guillaume Berga
Maquette : Joanna Rzezak

 – ISBN 978-2-330-16750-9
Loi 49-956 du 16 juillet 1949 sur les publications destinées à la jeunesse.
Reproduit et achevé d'imprimer en juin 2022 par l'imprimerie Printer Portuguesa
pour le compte des éditions ACTES SUD, Le Méjan, Place Nina-Berberova, 13200 Arles
Dépôt légal 1re édition : août 2022 – Imprimé au Portugal.

Joanna Rzezak

MILLE ET UN OISEAUX

à Szymon et Inès

ACTES SUD junior

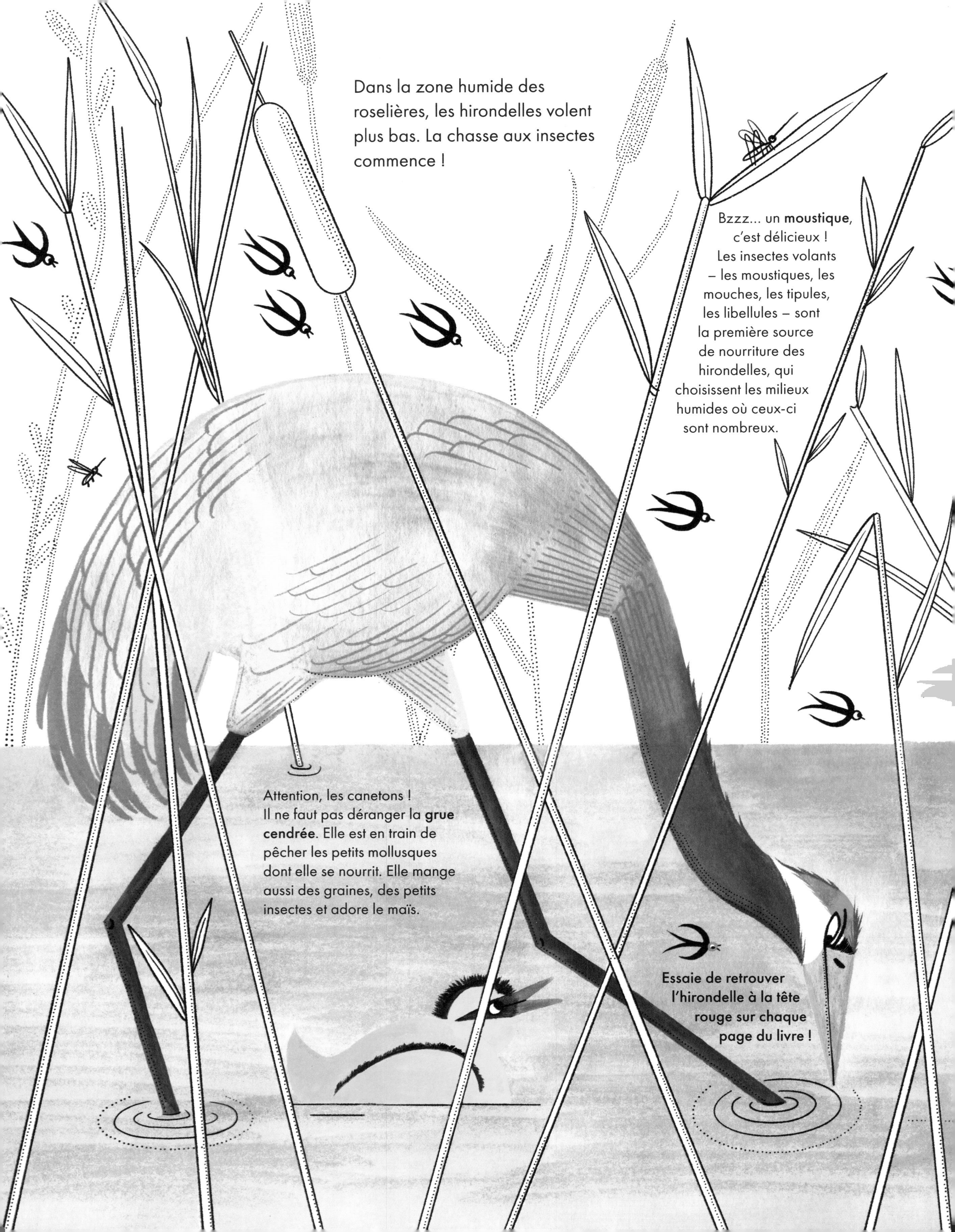

Dans la zone humide des roselières, les hirondelles volent plus bas. La chasse aux insectes commence !

Bzzz... un **moustique**, c'est délicieux ! Les insectes volants – les moustiques, les mouches, les tipules, les libellules – sont la première source de nourriture des hirondelles, qui choisissent les milieux humides où ceux-ci sont nombreux.

Attention, les canetons ! Il ne faut pas déranger la **grue cendrée**. Elle est en train de pêcher les petits mollusques dont elle se nourrit. Elle mange aussi des graines, des petits insectes et adore le maïs.

Essaie de retrouver l'hirondelle à la tête rouge sur chaque page du livre !

Cet oiseau à la coiffure extravagante est le **grèbe huppé**. C'est un excellent nageur et pêcheur capable de plonger à plusieurs mètres et de rester sous l'eau jusqu'à trois minutes !

Le grèbe huppé construit son **nid flottant** sur l'eau et niche entre avril et juillet.

Le **canard colvert** a des pattes palmées qui en font un excellent nageur. C'est une espèce qui vit essentiellement sur l'eau. La femelle du canard s'appelle la cane et leurs enfants, les canetons.

Quel bazar ! On se croirait au centre-ville ! La couronne d'un arbre est une maison pour de nombreux oiseaux.

L'**étourneau sansonnet** place son nid dans un trou d'arbre. C'est un oiseau qui adore manger les cerises ; les jardiniers ne sont pas ses amis !

Pas très sympa, l'étourneau vole souvent leur place aux autres oiseaux pour nicher, notamment aux mésanges. Une fois son nid installé et plein de duvet, il y pond ses œufs. Les œufs d'étourneau sont bleu pâle. Les oisillons qui vont éclore sont nidicoles : ils aiment rester longtemps au nid.

Le **merle noir** est un grand chanteur. Son chant est mélodieux et varié. Il forme son nid conique dans la couronne d'un arbre ou dans une haie.

La **mésange bleue** construit son nid dans une très petite cavité pour éviter que des concurrents s'approprient son emplacement. Elle pond une dizaine d'œufs à la fois. Ses oisillons vont s'envoler au bout de vingt jours environ.

La corneille noire

La **chouette hulotte** se cache dans son trou. C'est un rapace (un oiseau carnivore qui chasse d'autres animaux) nocturne qui somnole pendant la journée. Son chant s'appelle le hululement. C'est d'ailleurs plus facile de l'entendre que de la voir. Quand elle vole la nuit, elle le fait sans aucun bruit.

La maman hirondelle retourne dans son nid.
Ses oisillons affamés l'attendent !
On les entend pépier de loin...

L'**hirondelle rustique** habite les milieux ruraux, dans les fermes, les granges ou les étables.

Il existe de nombreuses espèces d'hirondelles. L'**hirondelle rustique** se différencie par sa gorge rousse et sa queue très échancrée.

Les jeunes hirondelles apprennent vite à voler – en une vingtaine de jours – mais elles auront besoin de leur nid encore quelques mois pour y passer la nuit. Le battement d'ailes est un réflexe instinctif, les oisillons doivent surtout apprendre à atterrir et à bien manœuvrer.

Le nid se trouve accroché à une poutre près de la toiture du bâtiment. Sa construction méticuleuse prend une bonne semaine et nécessite de très nombreux allers-retours pour récolter le matériel nécessaire. Il est strictement interdit par la loi de détruire les nids d'hirondelles, même vides ! Malheureusement, cette pratique reste répandue et le nombre d'hirondelles ne cesse de diminuer.

Le nid d'une hirondelle est composé de boue, d'herbe, de radicelles (des fines racines) et de paille, et garni à l'intérieur de brins d'herbes sèches, de plumes et de crin de cheval.

Les hirondelles apprécient le voisinage des humains. Elles pratiquent le **commensalisme** en se nourrissant en partie de nos restes alimentaires.

À la fin de l'été, les oiseaux ont fini d'élever leurs oisillons et pensent au départ pour passer l'hiver au chaud. Les étourneaux, les mésanges et les hirondelles se regroupent pour partir en migration !

L'agitation migratoire commence ! Les oiseaux se regroupent sur les arbres ou sur les câbles aériens. On parle même d'un "sentiment d'anxiété" qui les pousse à partir. Ils se préparent en mangeant davantage pour constituer les réserves de graisse nécessaires à un long voyage.

La **cigogne blanche** construit son nid impressionnant en hauteur – au sommet des poteaux d'électricité ou sur les cheminées des maisons. Le nid peut peser jusqu'à 500 kilos !

Pourquoi migrent-ils ? Avec la baisse des températures, les oiseaux reconnaissent l'arrivée de l'hiver. Pour eux, cela veut dire moins de nourriture et des journées plus courtes.

Certains oiseaux partent pour le Sud de l'Europe. D'autres, comme les **hirondelles rustiques**, vont plus loin, en Afrique. Les départs commencent en août, mais la plupart des oiseaux attendent le mois de septembre pour s'envoler.
Au cours des dernières décennies, on a observé que davantage d'oiseaux choisissent de rester sur place. Cela est dû au **réchauffement climatique** qui rend les hivers européens de plus en plus chauds.

Les journées deviennent de plus en plus courtes.
Les oies l'ont bien compris : il est temps de partir en voyage !

Les **oies tigrées** volent en chevron. Cette formation leur permet d'épargner leur énergie. L'oiseau de tête prend sur lui la charge du vent, ceux qui le suivent profitent de son abri et se fatiguent moins.
De temps en temps, un autre oiseau du groupe prend le relais en se plaçant en tête.

Les oiseaux profitent des **courants aériens thermiques** pour s'élever ou être propulsés vers l'avant.

La **barge rousse** détient le record du vol le plus long sans escale : 11 500 kilomètres !

Les oiseaux migrateurs volent parfois sur des milliers de kilomètres. Mais comment savent-ils naviguer ? Certains s'orientent grâce au soleil, d'autres se repèrent avec les sommets des montagnes, les rivières, et d'autres encore se servent du **champ magnétique** terrestre. Car certains oiseaux sont dotés d'un sens supplémentaire appelé **magnétoréception** qui leur permet de visualiser le champ magnétique et d'en déduire la direction à prendre.

Qui vole plus haut
gagne !

Le record de hauteur appartient au **vautour de Rüppell** qui atteint en vol environ 11 000 mètres de haut ! Plus que la plupart des avions ! Il niche aussi en hauteur en choisissant les falaises montagneuses. Il vit en Afrique, mais on peut parfois l'observer en train d'errer dans le Sud de l'Espagne.

Un avion commercial vole à une hauteur de 9 à 12 kilomètres (9 000 à 12 000 mètres).

La **grue cendrée** peut atteindre environ 10 000 mètres de hauteur. En vol, avec le cou et les pattes tendus la plupart du temps, elle crie, et son chant s'entend sur quelques kilomètres. Les Grecs racontaient qu'elle se mettait un caillou dans le bec pour pouvoir traverser une montagne silencieusement, sans attirer l'attention des aigles.

L'**oie tigrée** vole à la hauteur de 10 000 mètres. Lors de la migration, ces oiseaux forment des groupes de 50 à 200 individus.

Le **canard colvert** est le plus répandu des canards. Facilement reconnaissable, le mâle a la tête verte bornée d'un collier blanc. La femelle est brune et plus petite que le mâle. Elle est très bruyante, on dit qu'elle **coasse**.

Comme beaucoup d'oiseaux, le **moineau** pratique le **vol battu** : il bat des ailes très vite pour avancer.

Le **pigeon voyageur** est un oiseau qui transportait des messages, notamment pendant la Première Guerre mondiale. Ces messages s'appelaient des **colombogrammes** ; ils étaient insérés dans une petite boîte attachée à la patte de l'oiseau.

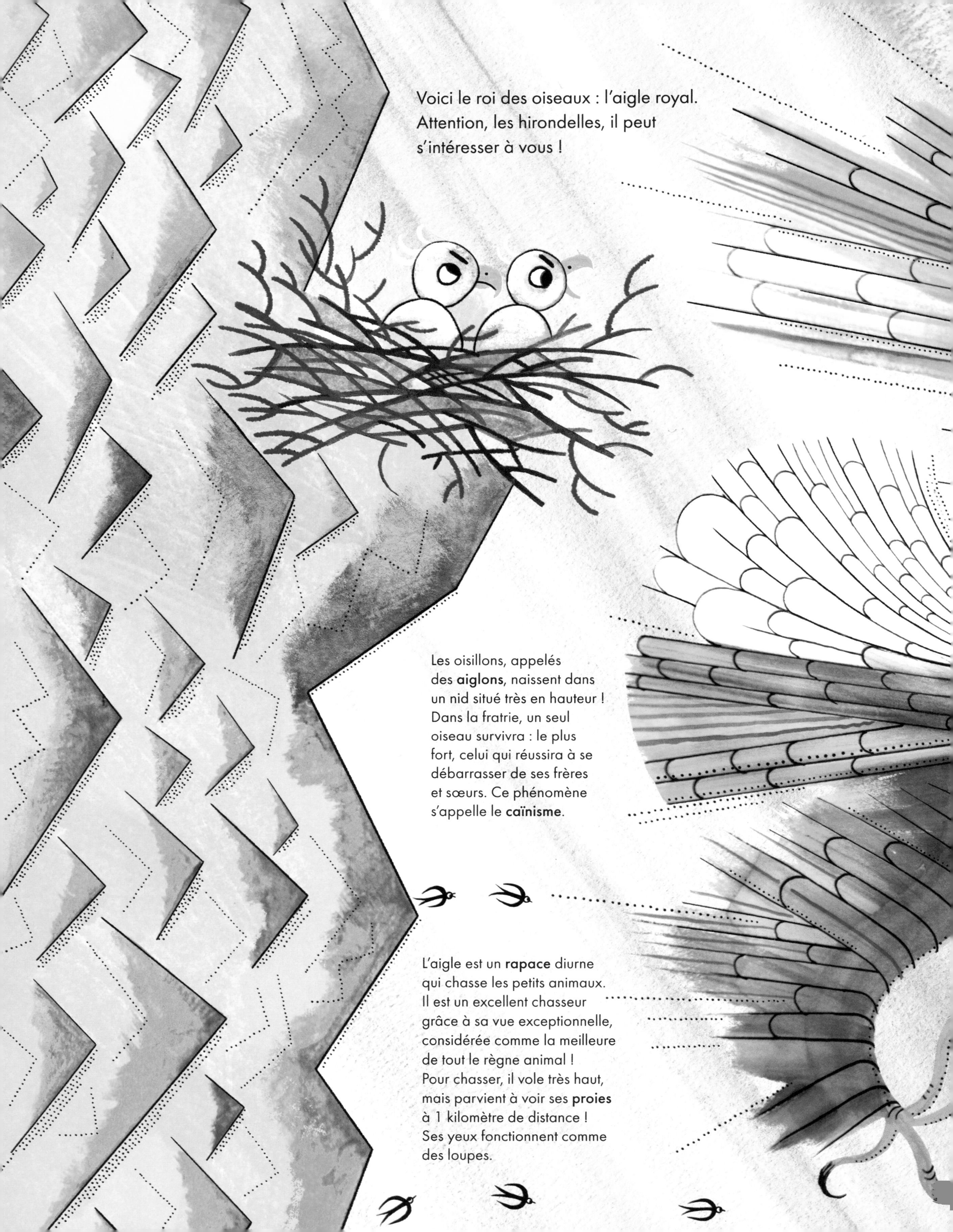

Voici le roi des oiseaux : l'aigle royal. Attention, les hirondelles, il peut s'intéresser à vous !

Les oisillons, appelés des **aiglons**, naissent dans un nid situé très en hauteur ! Dans la fratrie, un seul oiseau survivra : le plus fort, celui qui réussira à se débarrasser de ses frères et sœurs. Ce phénomène s'appelle le **caïnisme**.

L'aigle est un **rapace** diurne qui chasse les petits animaux. Il est un excellent chasseur grâce à sa vue exceptionnelle, considérée comme la meilleure de tout le règne animal ! Pour chasser, il vole très haut, mais parvient à voir ses **proies** à 1 kilomètre de distance ! Ses yeux fonctionnent comme des loupes.

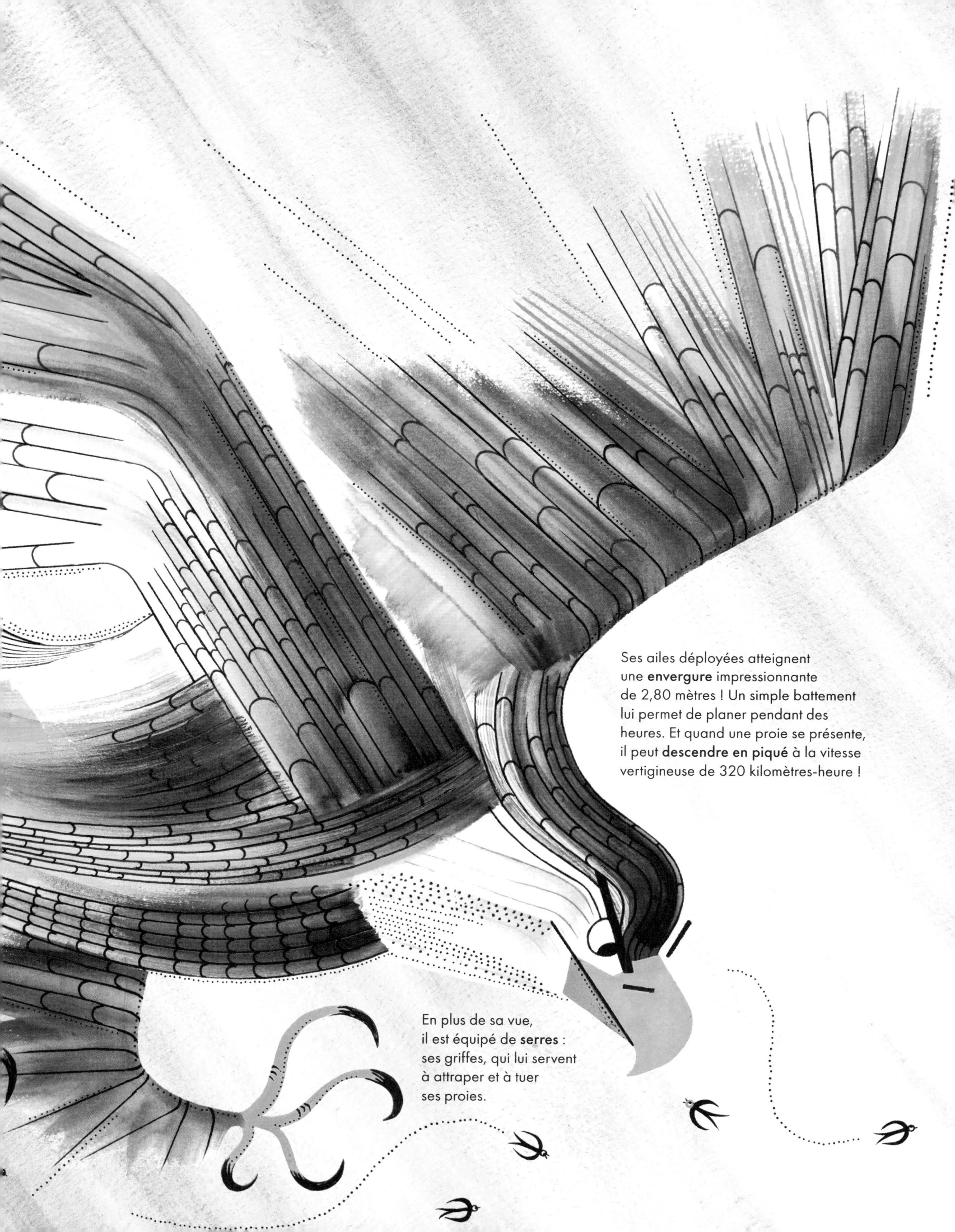

Ses ailes déployées atteignent une **envergure** impressionnante de 2,80 mètres ! Un simple battement lui permet de planer pendant des heures. Et quand une proie se présente, il peut **descendre en piqué** à la vitesse vertigineuse de 320 kilomètres-heure !

En plus de sa vue, il est équipé de **serres** : ses griffes, qui lui servent à attraper et à tuer ses proies.

Le plus grand enjeu du vol est de traverser la Méditerranée.

Le **cormoran huppé** est une espèce d'oiseau **endémique** de la Méditerranée. Endémique veut dire qu'il ne vit nulle part ailleurs. C'est un oiseau spécialiste de la pêche. On peut le voir stationner sur les rochers pour sécher son **plumage**.

Le **fou de Bassan** est un excellent plongeur. Il le fait à une vitesse de près de 100 kilomètres-heure.

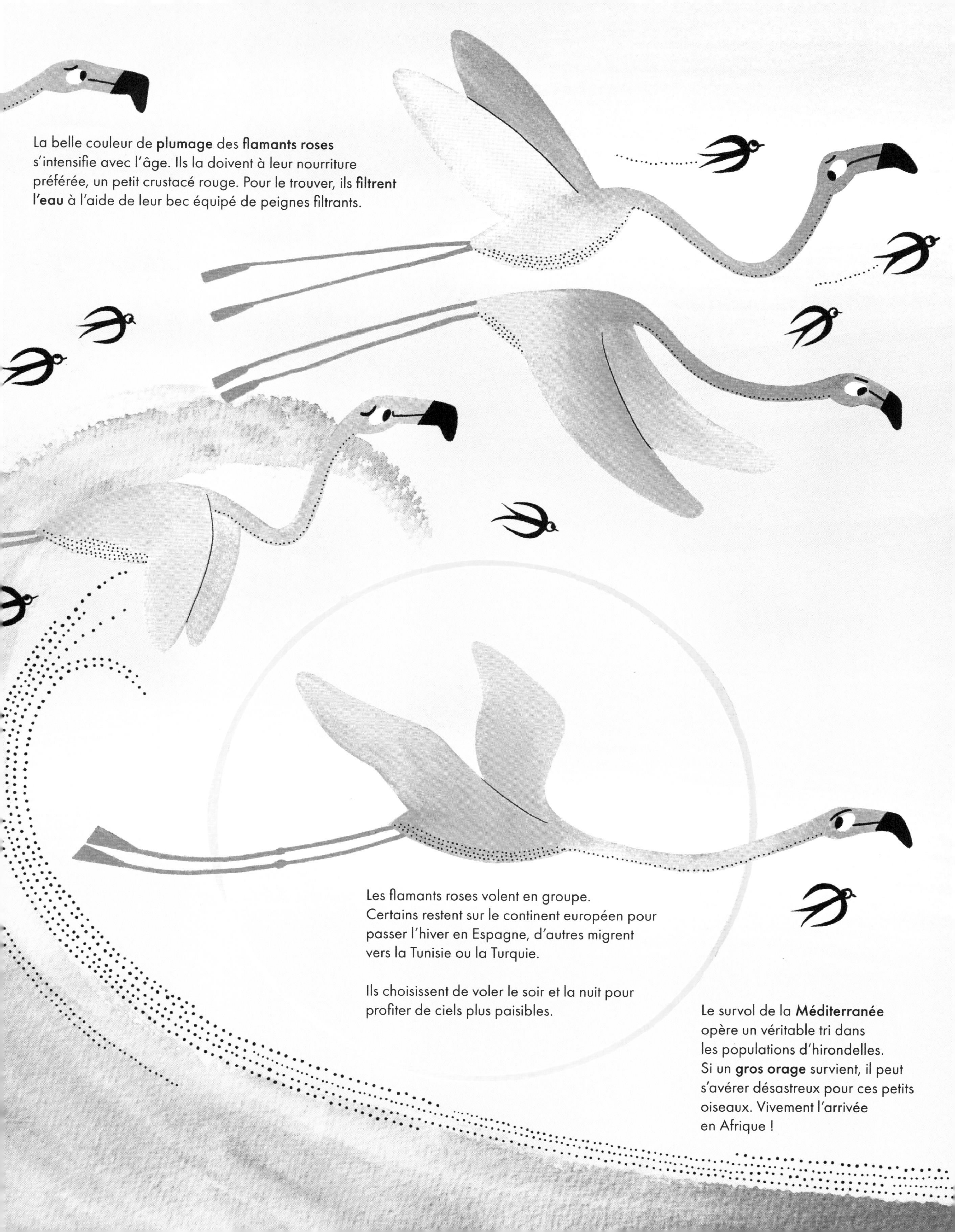

La belle couleur de **plumage** des **flamants roses** s'intensifie avec l'âge. Ils la doivent à leur nourriture préférée, un petit crustacé rouge. Pour le trouver, ils **filtrent l'eau** à l'aide de leur bec équipé de peignes filtrants.

Les flamants roses volent en groupe. Certains restent sur le continent européen pour passer l'hiver en Espagne, d'autres migrent vers la Tunisie ou la Turquie.

Ils choisissent de voler le soir et la nuit pour profiter de ciels plus paisibles.

Le survol de la **Méditerranée** opère un véritable tri dans les populations d'hirondelles. Si un **gros orage** survient, il peut s'avérer désastreux pour ces petits oiseaux. Vivement l'arrivée en Afrique !

Tenez bon, les hirondelles ! Après la Méditerranée, prochaine étape : le désert du Sahara. Aucun arrêt, aucun point d'eau et une chaleur accablante : c'est un véritable obstacle sur la route vers l'Afrique subsaharienne.

On appelle l'**envergure** la largeur sur laquelle un oiseau peut déployer ses ailes.

La cigogne, malgré son **envergure** de 1,5 mètre, reste un animal très léger. Elle pèse environ 4 kilos ! Cela est dû au fait que ses os sont creux. C'est le cas de la plupart des oiseaux, ce qui leur permet d'alléger leur squelette pour pouvoir voler.

La **cigogne blanche** migre en Afrique à la fin de l'été. Elle pratique un vol ascensionnel – elle profite des courants thermiques chauds qui lui permettent de monter haut et de planer.

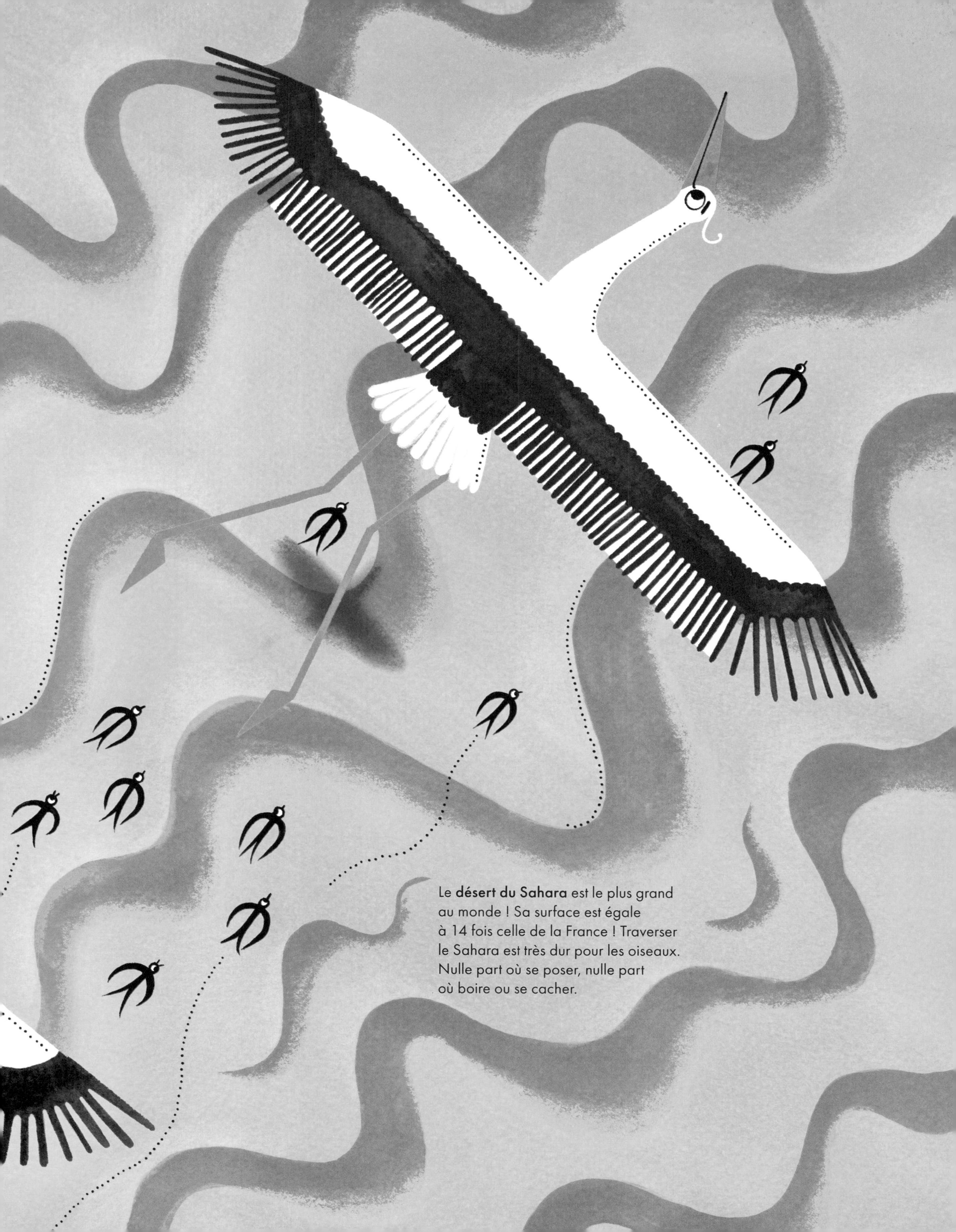

Le **désert du Sahara** est le plus grand au monde ! Sa surface est égale à 14 fois celle de la France ! Traverser le Sahara est très dur pour les oiseaux. Nulle part où se poser, nulle part où boire ou se cacher.

Bien arrivés au chaud en Afrique !
Pendant notre hiver européen, c'est la saison d'été au-dessous de l'équateur.

L'**autruche** est le plus grand des oiseaux : elle peut atteindre 2,75 mètres de haut. Grâce à ses jambes longues et musclées, elle est capable de courir très vite. Heureusement, parce qu'elle ne sait pas voler ! Ses grandes ailes ne lui servent que pour la parade nuptiale ou comme éventail.

Contrairement aux idées reçues, l'autruche ne cache pas sa tête dans le sable. Elle la garde près du sol à la recherche de la moindre pousse pour se nourrir.

Le **messager sagittaire** est un oiseau au plumage original. Pour s'envoler, il doit se mettre à courir, un peu comme un avion avant le décollage. Il passe sa journée à marcher dans la savane à la recherche des aliments.

Les **marabouts** doivent leur tête et leur cou déplumés au comportement charognard qu'ils adoptent parfois. La tête nue leur permet de rester plus propres quand ils se nourrissent du corps d'un gros animal.

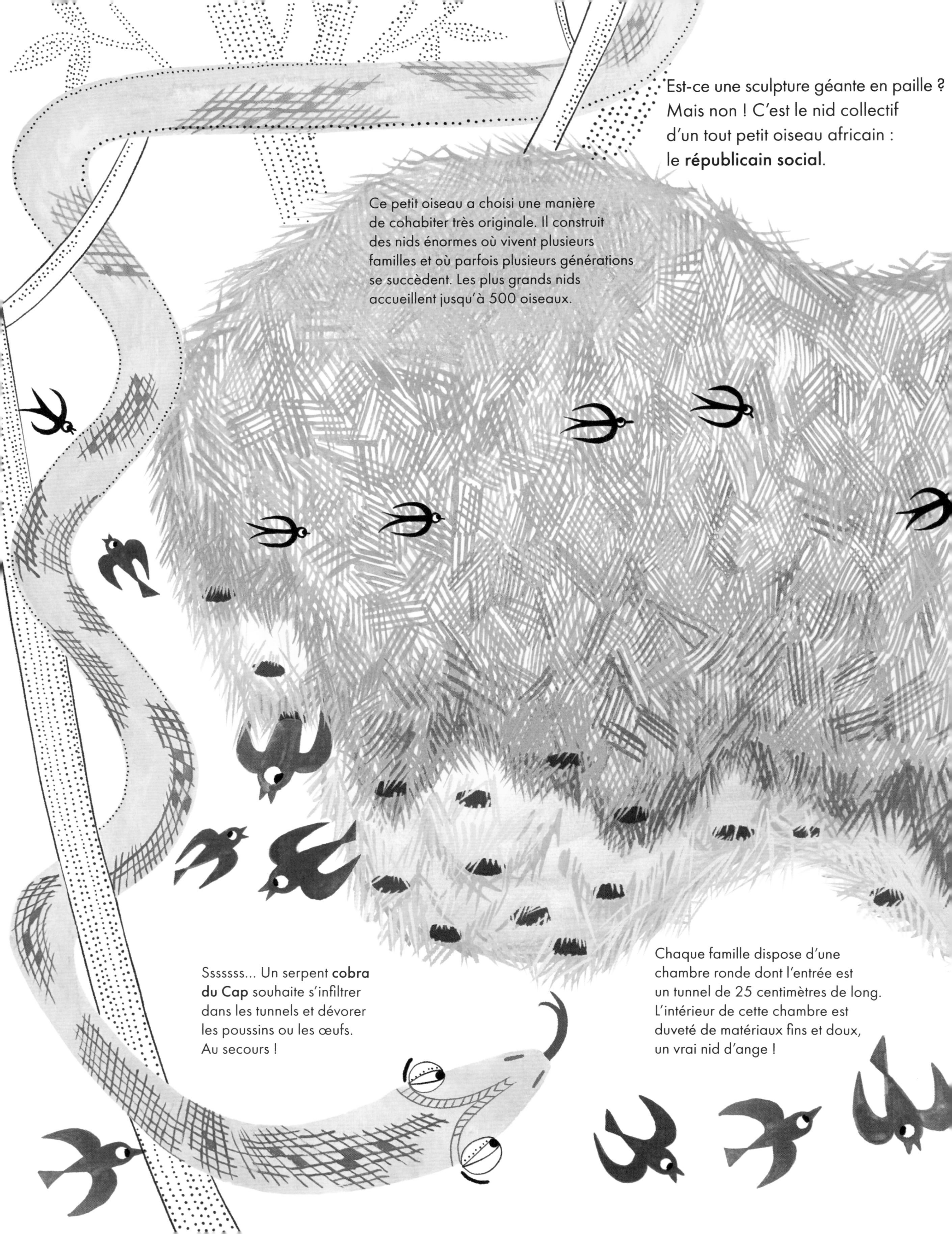

Est-ce une sculpture géante en paille ? Mais non ! C'est le nid collectif d'un tout petit oiseau africain : le **républicain social**.

Ce petit oiseau a choisi une manière de cohabiter très originale. Il construit des nids énormes où vivent plusieurs familles et où parfois plusieurs générations se succèdent. Les plus grands nids accueillent jusqu'à 500 oiseaux.

Sssssss... Un serpent **cobra du Cap** souhaite s'infiltrer dans les tunnels et dévorer les poussins ou les œufs. Au secours !

Chaque famille dispose d'une chambre ronde dont l'entrée est un tunnel de 25 centimètres de long. L'intérieur de cette chambre est duveté de matériaux fins et doux, un vrai nid d'ange !

Parfois d'autres espèces telles que les **barbicans**, les **tariers**, les **mésanges** ou les **inséparables** viennent profiter des chambres duvetées.

Ce nid atteint une taille de plusieurs mètres de diamètre et peut peser plusieurs tonnes, jusqu'à menacer la stabilité de l'arbre ! Pour se protéger des prédateurs, il est placé haut et dans une couronne d'arbre au tronc plutôt lisse ou sur un poteau électrique.

Si ce n'était pas pour son nid, on l'aurait à peine remarqué ! Le républicain social est un petit oiseau brun qui ressemble au moineau.

Avant le retour en Europe au printemps, les hirondelles peuvent profiter de la nourriture abondante des plaines africaines.

Les hirondelles rentrent de leur **migration** en Afrique au printemps pour la saison de nidification qui débute en avril pour cinq mois environ.

Au cours de leur séjour en Afrique, elles aiment nicher dans les **roselières**. Elles y trouvent suffisamment d'insectes et peuvent recréer des réserves de graisse pour préparer leur voyage de retour en Europe.

Coucou !
Ce bel oiseau est la **grue royale**. Elle habite les milieux humides de la savane. Elle fait partie des nombreuses espèces d'oiseaux classées "en danger".

Nous avons l'impression d'être entourés d'oiseaux, mais ils sont de plus en plus menacés à cause de la diminution de leur habitat, de l'utilisation des pesticides, du bruit des villes et du trafic aérien...

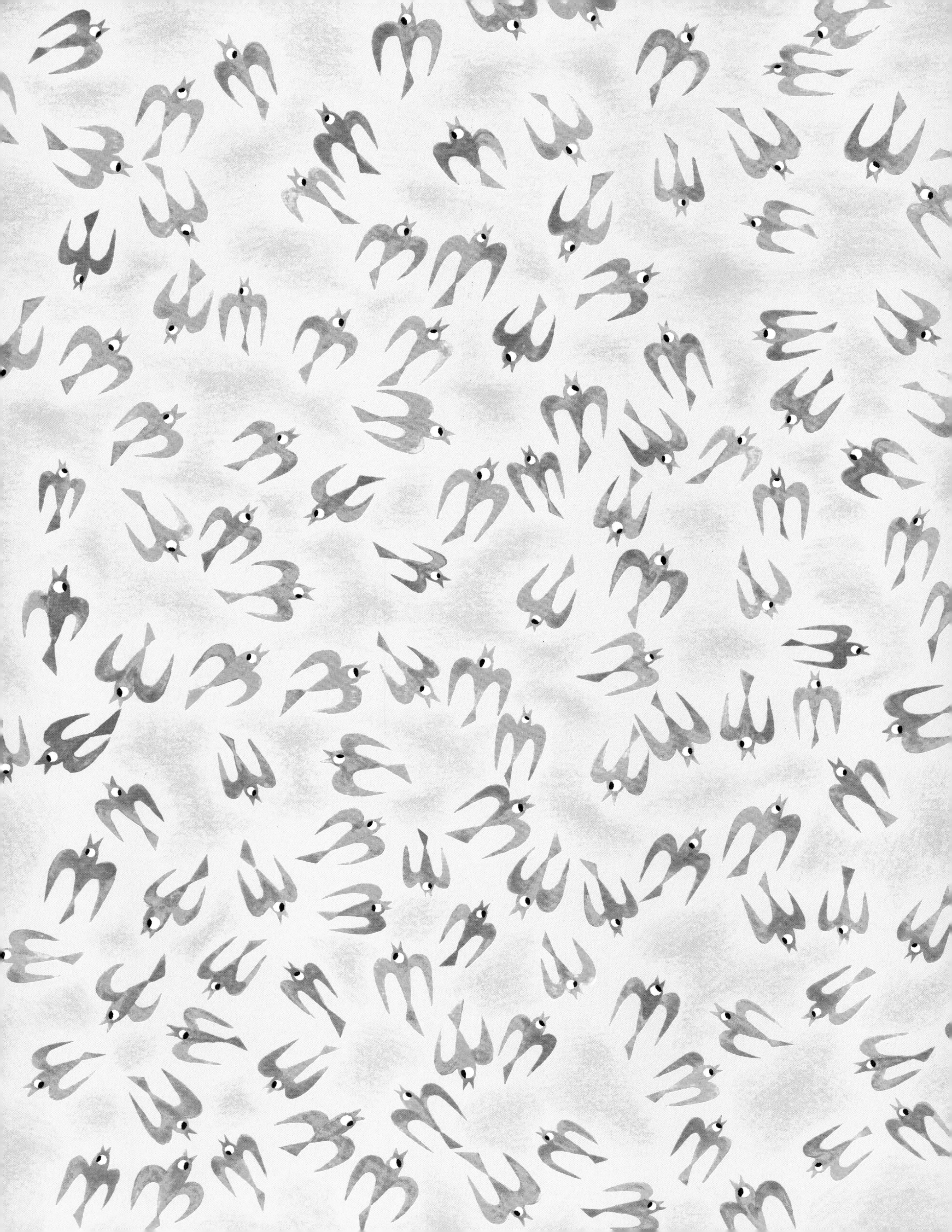